KB178152

꿀단지

꿀단지

발　행 | 2024년 06월 01일
저　자 | 정진상
펴낸이 | 한건희
펴낸곳 | 주식회사 부크크
출판사등록 | 2014.07.15.(제2014-16호)
주　소 | 서울특별시 금천구 가산디지털1로 119 SK트윈타워 A동 305호
전　화 | 1670-8316
이메일 | info@bookk.co.kr

ISBN | 979-11-410-8736-4

꿀단지

정 진 상
첫 번째 시집

CONTENT

머리말

까까머리 중학교 1학년 즈음 이었을까 학원 이라는 학생잡지에 시 한편을 응모하고 나그네 라는 시로 유명하신 박목월 선생님께서 시평을 써주신 기억이 예순다섯이 된 지금도 나의 가슴을 설레게 합니다. 지금껏 전공분야에서 일을 하고 살면서도 늘 마음 한켠에 어린시절 문학도를 꿈꾸었던 그 감성이 아직도 살아 있음에 늦었지만 그동안 틈틈이 적어두었던 푸념같은 글들을 모아 첫 시집을 내게 되었습니다. 문학을 전공한 사람도 아니요 그저 살면서 울고 웃었던 삶의 그림을 수채화처럼 무덤덤하게 마음이 가는대로 글로 옮겨 놓았습니다.

아내에게 하고 싶은 말. 자식들에게 남기고 싶은 말. 눈에 넣어도 아프지 않다 고들 하는 사랑스러운 손자 손녀에게 해주고 싶은 이야기. 일터에서 만난 사람들 이야기. 교회와 내가 만난 주님과, 이제는 추억처럼 느껴지는 살면서 실패하고 힘들었던 이야기. 어김없이 찾아온 노년의 삶과, 죽음을 바라보는 마음과 그래서 하나님께서 주신 인생이 귀하고 아름다운 여정으로 남겨지길 바라는 작은 소망으로 한글자 한글자 표현하였습니다. 시를 쓰는 시간이 너무도 행복하고 소중했습니다. 지난해 6월 100수를 누리시고 천국에 가신 어머니가 그립습니다. 어머니 추모 1주기를 기념하며 보고 싶은 어머니와 평생 지극한 정성으로 모시고 살았던 사랑하는 나의 아내 이은화 권사에게 이 책을 바칩니다.

2024년 5월 끝자락에서

정진상

제1장   봄 : 노년이 되어 인생을 바라 봄

봄

노년이 되어서야 이제야 뒤를 돌아 봅니다
내 인생의 봄날이 언제 였을까
어릴적 철 모르던 시절도 아니요
젊은 청년의 때 장가들고
패기 넘치던 그때도 아니요
정년을 맞이하고 흰 머리에
몸도 마음도 예전 같지 않지만
그래도 지금까지 행복하게 살았고
오늘이 더없이 소중한
지금이 봄날이다

님이 오는 길목

밤을 새워 기다리겠습니다
무릎 꿇고 기다리겠습니다
벚꽃이 피면 행여 님이 오실까
고운 신 갈아 신고 마중을 가겠습니다
여름 소나기 소리에 비 맞으면 어쩌시나
하얀 우산 펼쳐들고 뛰어 가겠습니다
언제나 오시려나
내가 떠난 뒤에야 오시려나
내가 살아 있을적 오시려나
내가 쓴 잘못 얼마나 꾸중 하실까
그리하여도 보고픈 님의 얼굴
마주 하고저 주님이 오는 길목 에서
하염없이 기다리고 기다리겠습니다

달팽이 인생

느려도 천천히 도톰한 뱃살로
길을 나서는 달팽이
자외선 따가운 햇살이 싫어
나선형 껍데기에 몸을 숨기고 잠시
돌 밑에 들어가 휴식을 가진다
습기가 편안하고 밤이 즐거운 달팽이는
인생의 고비 딱정벌레를 만나면
두쌍의 더듬이 뿔로 자신을 지켜내고
초록같은 풀밭 나뭇잎에 걸터앉아
풍족한 세상을 갉아먹고 산다
많은 곳도 볼 수 없고 먼 여행도
갈수 없는 달팽이 인생
한번에 많은 것을 욕심내는 사람들 인생보다
느려도 천천히 행복으로 충만한 달팽이 인생
달팽이 눈엔 세상이 좁아도
달팽이 마음엔 아직도 가야할 세상이 많다

거울 앞에서

거울을 보니 여기저기 흰머리가 많다
멋 부린다고 갈색 염색을 한적은 있어도
흰머리를 감추려 지금껏 예순 다섯이 되도록
머리 염색을 해본 적이 없다
거울앞에 서면 오롯이 오늘만 보인다
서툴렀던 지난 과거는 다 감추어준다
알 수 없는 내일도 거울 앞에 서면
괜스레 잘 될 것 같은 근거 없는 희망을 버리고
냉정과 열정 사이에서
방황하는 나를 보게 한다
거울앞에 서면 오롯이 오늘만 보인다
거울은 거짓말 하지 않는다

노년의 기도

내가 가진 것에 자족하게 하시고
다만 심령은 부하되 노년의 삶이 가난하게 마옵소서
욕심은 버리고 사랑하는 마음만 남게 하소서
작은 일은 웃어 넘기고 큰 일엔 바위처럼 꿈쩍 않는
넓은 아량을 베풀게 하소서
육신을 돌아보아 청결함을 잃지않게 하시고
겉옷은 남루하지 않게
보이지 않는 속옷은 더더욱 깨끗함으로
노년의 향기를 가꾸어 가게 하소서
사는 날까지 두발로 서게 하시고 치매에서 건지소서
응급한 일 만나지 않게 하시고 중환자실에서
삶의 마지막을 보내지 않게 하소서
내게 남은 시간이 병들어 눕지 않게 하시고
사고로 눕지않게 하시고 손이 수고 한대로
끝까지 일하며 살게 하소서

우리의 연수가 칠십이요 강건하면 팔십 이라는
말씀대로 살다가 천국가게 하소서
하나님의 자녀로 하나님께서 나의 영혼을
부르실 때 찬송하며 육신의 장막을 벗게 하소서
내 인생의 마지막이 사랑하는 아내와 아들 딸들의
무거운 짐이 되지 않게 하소서
주님 만날 그날을 사모하는 마음으로
우리 일생의 마지막 날을 맞이하게 하소서
내 삶의 임종이 다른 사람들에게
복음 증거의 얼굴이 되게 하소서
나의 기도가 자녀 손들의 평생에
축복의 통로가 되게 하소서
아내의 남은 여생이 가난하지 않도록 남기고 갈
유산이 있게 하시고 아내 보다는 조금 일찍이
천국으로 가게 하소서
예수님 이름으로 간절히 기도합니다. 아멘

낡은 구두

언제인가 나의 구두가 낡았는지
아이들이 구두를 선물 해 준적이 있다
일 한답시고 이리저리 전국을 누비며
다녔던 탓에 구두가 낡고 측은해 보였던지
새 구두를 보니 힘도 나고 한편으론
더 열심히 돈 벌어서 집에 오세요
하는 것 같이 웃고 있었다
낡은 구두가 발이 편하듯 낡고 오래 되어도
부부는 세월이 흐를수록 편해서 좋다
낡은 구두는 깊게 패어진 어버이 주름 같고
낡은 구두는 피곤해 잠들어 있는
아내의 얼굴 같아 연민의 정이 깊어만 간다
낡은 구두는 때가 묻어도
편안한 가족 같은 사랑이다

엄마 1

이 세상에 태어나기전
뱃속에서부터
토닥 토닥
등 두드려 주셨던 사랑
산고의 고통을
마주 하고서도
온몸으로 버티며 기다려 주셨던 사랑
언제나 내 편인
하나뿐인 이름
눈감고 보아도 더 크게
보이는 이름
엄마
엄마
엄마

꿀단지

나에겐 가장 값비싼
꿀단지가 하나 있다
매일매일 퍼 먹어도
달콤한 꿀이 고여 있는 꿀단지
오병이어 같은 달고 오묘한
기가 막힌 꿀단지
집 나갈 때 한 숟갈
집에 들어와 또 한 숟갈
아플 때도 한 숟갈 피곤 해도 한 숟갈
어려운 일을 만나도 한 숟갈
재밌어 웃으며 한 숟갈 슬퍼서 한 숟갈
언제 어디서든 들고 다니며 먹을수 있는 상비약
무슨 병이든 먹기만 하면 어김없이 낫는
만병 통치 약
나의 꿀 단지
사랑하는 나의 성경 책

수국

꽃잎 하나 하나는 작지만
여럿이 모여
탐스러운 꽃 다발을 만드는
너는 겸손의 꽃이다
하얀 꽃
보라색 꽃
노란색 꽃
파란색 꽃
변덕스러운 사람들의 취향을 맞추어 피는
너는 배려의 꽃이다
비단으로 수놓은 둥근 꽃
모나지 않은
예쁜 마음을 가진 너는
나의 아내같은
꽃이다

사랑한다는 말이 어찌 그리 어려운지

사랑한다는 말이 어찌 그리 어려운지
사랑해
사랑해
마음은 오골거리고
입술은 무뎌도
사랑해 한마디만 하면
나도 좋고 너도 기분이 좋아 지는 것을
가슴으론 알면서도 그게 어렵다
표현도 자주해야
밥 먹는 습관처럼 편하고 쉬울텐데
사랑해
사랑해
목 까진 꽉차 오는데
입술로 내뱉기가
그리도 힘들다

뜸

오곡 밥도 뜸을 들여야 맛이 있고
사람도 뜸이 들어야 진국이 된다
세상 만사는 다 시간이 있고
일을 서두르다 보면 설익은 밥이 된다
조금 늦어도 급하게 가지 않는 발걸음
장거리 레이스 같은 인생의 승자는
늦지도 빠르지도 않게
오버 페이스 하지 않는 자만이
승리의 왕관을 쓴다
뜸을 들이는 시간
아무리 급해도 그 시간이 지나야
촉촉한 밥이 되고
맛있는 인생이 된다

빨래

오월의 맑은 태양아래
모처럼 빨래를 말린다
묵은 내 안의 찌꺼기들을 탈탈 털어 말리듯
선선한 바람을 타고 옷가지들이 기지개를 편다

때 묻은 청바지
얼룩진 와이셔츠
감추고 싶은 허물 들을
청정한 수돗물로 하얗게 씻어 내리듯
색색깔 옷들이 푸른 하늘가에 얼굴을 내민다

오월의 맑은 태양아래
모처럼 빨래를 말린다
영혼의 오물을 버리듯
내 마음의 빨래도 기분 좋게 널려있다

꾸지뽕 열매 차

매일 아침 아내가 끓여주는 꾸지뽕 열매 차
검붉은 빛깔에 한 두알 넣어도 진하게 우려 납니다
그렇게 화려하지 않고
그렇게 표나지 않게
자신을 드러내지 않아도
언제나 내 곁의 사람들에게 따뜻한 사랑을
우려 내는 꾸지뽕같은 사람이 되고 싶습니다
입에 쓰지도 않고 달달 하지도 않지만
마시면 마실수록 질리지 않는 꾸지뽕 열매차
정성이 더해져 내 몸에 양약 같은 꾸지뽕 열매차
언제나 내 곁의 사람들에게 쉬었다 가시라고
꾸지뽕 열매 차 한잔 대접하고 싶습니다

현장 가는 길

현장 가는 길
오늘도 나는 동해선 전철을 타고 출근을 한다
집짓는 현장은
마치 우리네 인생을 만들어 가는 것처럼
복잡하고 힘들고 한치의 오차도 없어야 하는
자동차 부품과도 같다
땅을 파고 기초를 놓고
콘크리트를 붓고 예쁜 타일에 온돌 마루를 깔고
페인트를 칠하고 앞뒤 순서가 바뀌면
어김없이 일이 틀어져 버리는
우리네 인생과도 같은 곳이 집짓는 현장이다
여호와께서 집을 세우지 아니하시면
세우는 자의 수고가 헛되며 여호와께서
성을 지키지 아니하시면 파수꾼의
깨어 있음이 헛되도다

그래서 감사해

살면서 남들에게 폐 끼치지 않고
도란도란 자식들 결혼 하고서도
멀리 떠나지 않고 가까이 두고 살고 있으니
그래서 감사해
좋은 회사 사표 던지고 젊은 오기에
사업 한답시고 개업해서 어려움도 겪어 봤지만
지금까지 어떻게 먹고 살았는지 지나고 보니
죽을 만큼은 아니 었으니 그래서 감사해
부요한자 같으나 마음이 가난한 자요
근심 하는자 같으나 항상 기뻐하며
살고 있으니 그래서 감사해
자식들에게 남겨줄 많은 유산이 없기에
남들처럼 싸울 일 없으니 그래서 감사해
평범한 아버지 부족한 남편 이어도
지금까지 화목하게 지냈으니 그래서 감사해
그래서 감사해 참 감사해

골든 타임(Golden Time)

세상에는 골든 타임이 있다
사람을 살리는 골든 타임

고백을 해야 하는 골든 타임
반드시 지켜야 하는 골든 타임이 있다

모든 것을 다 가져도
한번 지나가면 다시는 돌아 올수 없는 강
금 보다 더 귀한 골든 타임

이 세상 가장 절실한 골든 타임은
구원의 골든 타임이다

단팥죽

달달한 단팥죽
한그릇 단팥죽에 기분이 좋아진다
달콤한 단팥죽
사람 사는 인생이 늘 달달 하진 않다
누군가에겐 꿈을 이루게 하고
또 누군가에겐 한순간 꿈을 빼앗아간 단팥죽
달달함 속에 감추어진 인생의 쓴맛
사람 사는 인생에 당연한 것은 없다
주어지는 축복 마저도 달달 함에 취해
한순간 빼앗겨 버린 야곱의 단팥죽
사람 사는 인생이 선택하기에 달려 있다

버리고 남기기(버고남기)

며칠후면 경로 우대증이 나온다
나라가 인정하는 노인이 된다
누구나 노인이 될거 라고는 까마득히 잊고들 산다

분주한 세상에서 이제는
버릴 것은 버리고 남길것만 남겨야할 시간이 왔다
서서히 주변을 정리할 시간이 왔다는 뜻이다

이곳저곳 기웃기웃 쓸데없는 모임은 줄여가고
좋아하는 취미도 나이들어 오래 오래 한가지
할수 있으면 그것으로 족하다

속마음을 언제라도 털어 놓을수 있는
친구도 딱 한 사람만 있으면 그것으로 족하고
돈 욕심도 버리고 가진 것으로 줄여 사는 법을
배우며 살아야 한다

이제는 남들 부러워 하는 마음도 버리고
내게 주어진 족한 은혜로 사는 법을
자식들에게 남기며 살아야 한다

모든 것을 은퇴 하여도 믿음의 경주는
끝까지 이루어 기도의 씨앗을 남기고
나이 들면 부자나 가난한 인생이나
잘난 사람이나 못난 사람이나 다 똑같아진다

버릴 것은 과감히 버리고
남겨야할 것은 죽어도 남겨야 한다

며칠 후면 경로 우대증이 나온다
노인이 되었다는 생각에 조금은 쓸쓸하지만
이제 나에게도 남기고 버릴 시간이
왔다는 것에 스스로를 돌아 보게 한다

다 지나 갑니다

지금 이 순간이 버겁고 아무리 나아갈 길이
보이지 않아도 다 지나 갑니다
겨울이 지나면 그 누구도 봄이 오는 길목을
막을수 없고 밤이 아무리 길어도 아침 햇살이
어둠을 끊어내고 마침내 푸르디 푸른 하늘에
내마음 불덩이 같은 태양을 띄워 올립니다
다 지나 갑니다 가지 않는 세월이 없고
오지 않을 세월이 없습니다 다 지나 갑니다
한 순간을 살아도 한 바탕 웃음으로 살고
자족을 아는 사람은 가질 것에 소원을 두지 않고
가진 것에 이루었다고 감사하는 사람입니다
이 세상 그 누구도 나보다 행복한 사람은 없다고
말하는 사람입니다 모든 것은 다 지나 갑니다
잘낫다고 생각하는 인생도
못낫다고 생각하는 인생도
때가되면 공평하게 다 지나 갑니다

놀이터

저녁 어스름
동네 놀이터를 지나치는데
꼬마 아이들 웃음소리가 어찌나 크든지
한 무더기 꼬맹이들이 여기저기 모여서
노는 모습이 너무도 정겹다
요즘 세상에 아이들 낳지 않고 늙은이들만
소복한 마을 곳곳에 뭐가 그리 좋은지
이렇게 쟁알쟁알 까룩까룩
아이들 웃음소리가
그 어떤 세상의 소리 보다도 행복한 소리다
아들 딸 구별말고 둘만 낳아 잘 기르자던
그 옛날 캠페인이 이제는 아득한
돌아 갈수 없는 길이 되었다
놀이터는 있어도
아이들이 없는 세상
가까운 미래의 이 나라 모습이다

제2장 **여름** : 내 인생의 뜨거웠던 **여름**

여름

내 인생의 뜨거웠던 여름
나는 여름이 좋다
가벼운 티 하나 걸치고
땀 흘리고 더워도 살아있는 것 같아 좋다
누구나 한번쯤
인생의 뜨거운 여름을 만난다
태양의 맹렬한 열정을 맛보지 못한 사람은
인생의 겨울 또한 이겨낼수 없다
내 인생의 뜨거웠던 여름
나는 여름이 좋다
그러기에 꽉찬 열매를 맺고
가을 들녘에 그리도 풍성한 꽃을 피우나 보다

내 맘의 강물

당신을 사랑 합니다
당신을 향한 내 맘의 강물은 아무리 흘러도
당신의 옷자락에 닿을수 없어요
이 세상 어디에도 숨을 수 없는 나는
당신을 늘 염두에 두고서도
순결하지 못하고 딴 마음을 품고 있어요
당신을 사랑 합니다
천만번을 내 입술로 고백 하여도
당신을 근심케 하는 나를 용서 하세요
그리하여도 어찌하여도
당신은 한결같이 나를 버리지 않으시고
이미 내 맘의 강물에 배 한척 띄우시고
소원의 항구로 돌아 오기만 기다리십니다
당신 없이는 살수 없단걸 알고 또 알면서도
자꾸만 곁길로 가는 나를 붙잡아 주세요

당신을 사랑 합니다

무슨 생각을 하는지 무얼 바라고 있는지

내 속을 훤히 다 들여다 보고 계신 당신께

나는 늘 변명만 늘어 놓습니다

수없이 당신을 배반하고 뒤로 돌아 누워도

지금까지 내 곁을 떠나지 않으시고

내 맘의 강물에 샤론의 꽃 하나

여전히 피워 주심에 감사합니다

당신 없이는 나도 없고

당신 없이는 나는 살수 없어요

당신을 더욱 사랑합니다

당신을 더욱 사랑합니다

나를 믿는 자는 성경에 이름과 같이 그 배에서
생수의 강이 흘러 나오리라 하시니 이는 그를
믿는 자들이 받을 성령을 가리켜 말씀하신 것이라
(요한복음7:38~39)

나는 너에게

나는 너에게 기쁨을 주는 사람이고 싶다
나는 너에게 슬플때 같이 울어주는 사람이고 싶다
나는 너에게 늘 쉼 같은 로뎀나무 그늘이고 싶다
나는 너에게 급할 때 만사를 제쳐두고 뛰어가는
첫 번째 사람이고 싶다
나는 너에게 걸어갈 때 심심 하지않은 길 동무가
되어 주고 싶다
나는 너에게 무슨 말을 하여도 척 알아듣는
마음이 통하는 친구이고 싶다
나는 너에게 지치고 힘들 때 밥 사주고 차 마시고
밤새도록 하소연 들어주는 그런 사람이고 싶다
나는 너에게 가끔은 화를 내지만 그래도 젤
사랑하는 사람
나는 너에게 세상을 다 주어도
나는 너에게 내 모든걸 다 주어도
아깝지 않은 너는 나의 안해다

유월은

나는 유월에 태어났다
푹푹찌는 여름 더위에 어무이께서
날 낳으시고 몸조리 하신다고
얼마나 힘드셨을까
내 위로 줄줄이 딸만 다섯 낳으시고
여섯만에 아들을 보았으니 그 어찌
경사스런 달이 아니었을까
그토록 바라시던 손주를 안으신 얼굴도 모르는
할배는 내가 백일쯤 되었을 때 돌아가셨다
시아버지 눈치에 딸만 다섯 보실 동안
허리한번 제대로 펴지도 못하시고
속앓이하고 사셨던 울엄마는 지난해 유월에
백세를 사시고 천국으로 가셨다
유월은 내가 태어나고 오로지 아들밖에
몰랐던 울엄마가 내 곁을 떠나가신
그리움의 달 이다

커피 향기

세상엔 참 좋은 향기가 많이 있다
그중 에서도 가장 기분좋게 만드는 향기가
커피를 내릴 때 퍼지는 커피 향이 아닐까
잠시 앉아 쉬고 싶을 때 피로 회복제 같은
은은한 커피 향기는 냄새만 맡아도 마음속에
들어오는 설레임 같은 기분을 준다
따끈한 커피 한잔에 쇼팽의 피아노 소나타를
들을수 있는 소소한 행복에 절로 즐거워 진다
그렇게 커피 향기는 모두를 참 기분좋게 한다
나 역시 가만히 있어도 저절로 향기가 나는
그런 사람 으로 살고 싶다

세월은 가고 사랑만 남는다

한순간 미워하고 속절없이 보내는 먹먹한 세월
창문하나 열면 사라지는 마음속의 먼지 인 것을
무얼 위해 그토록 양보하지 못하고 자존심만
내세웠는지 세월이 가고 나이가 들고서야
당신 잘못이 아니라 모든게 나의 잘못 이란걸
이제야 깨닫는 나는 바보 같은 사람입니다
좋아했던 마음도 질투했던 마음도 이제는 어설픈
추억의 이름으로 포장되어 우리앞에 놓여 있네요
세월이 약이라는 말 그때는 믿지도 듣지도 않았지요
지나간 아픈 기억은 지우개처럼 모두 잊기로 해요
세월이 가면 눈물 고인 그루터기에도 새싹이 움트고
세월이 가면 미움의 흔적위에 사랑만 남습니다
창문하나 열면 사라지는 마음속의 먼지 인 것을
이제야 깨닫는 나는 천치 같은 사람입니다

나봇의 포도밭

어릴적 중학교 1학년 까지 살았던
대구 팔달교 근처 포도밭 한옥집
여름이면 몇 천그루 되는 포도를 따다가
청과시장에 내다 팔았고 아버지께서 직접 설계
하신 방갈로 산장 열 두채에 도로를 포장하고
새마을운동 표창까지 받으신 아버지는 모든
재산을 포도밭에 부으시고 부도를 맞이하셨다
가족들은 흩어졌고 나의 부요함도 깨어졌다
토목기술 공무원이 셨던 울 아버지는 사업파탄
으로 서울로 가신후 오래 못 사시고 돌아가셨다
생각하면 꽤 적지 않았던 아버지의 재산
지금의 나에겐 나봇의 포도밭 처럼 슬프지만
한없이 그리운 고향의 추억이 남아있는 곳이다
인생은 생각하면 할수록 좋은 추억이 있고
돌아보면 볼수록 미련이 남고 슬픈 추억이 있다
빼앗긴 나의 포도밭 나봇의 포도밭

젊은 날의 나에게

젊은날 너는 무엇을 위해 살았느냐
젊은날 너는 무엇을 남기며 살았느냐
늘 현실의 벽 보단
더 높은 하늘을 보며 희망을 외쳤고
이리 기웃 저리 기웃
일만 잔뜩 벌여 놓고
뭐 하나 끝을 보지 못하는 부족함
젊은날 나는 그랬다
눈에 보이는 실패에도 덤벼 들었고
손해 보고 손에 남는 것 없어도
주눅 들지 않았다 젊은날 나는 그랬다
빽이 없어도 하고 싶은건 무조건 도전 해보고
남들처럼 크게 성공하진 못했어도
재밌게 살았으니 남은 장사 아닌가
젊은날의 나에게 수고했다
사랑한다 말하고 싶다

꿈을 쫓는 여행

하던 일을 멈추고
무작정 짐을 싸서 여행을 떠나자
피난처가 아닌 꿈을 쫓는 희망의 나라로
지금 내가 가진 것 비록 적을 지라도
한번 시작 해보자 그래 한번 해보자
잘되고 못되는 것 마음 먹기 달렸다
시작이 있어야 끝도 있다
한번 시작 해보자 그래 한번 해보자
실패를 겁내지 말고 자신있게 떠나라
우물쭈물 하지 말고 지금도 늦지 않았다
할 수 있다 생각할 때 성공도 찾아 온다
이것 저것 재지 말고 여행을 떠나자
어차피 인생은 꿈을 쫓는 여행의 연속이니까

수제비

내 고향 대구 칠성동
국수 공장을 하던 우리 집은 번듯한
이층 건물에 꽤나 부잣집 이었다
비오는 날 공장을 쉬는 날이면
누나들과 나와 동생은 밀가루 반죽으로
점토 놀이를 하듯 정겨웁게 놀았다
그래서 인지 울엄마가 해주신 밀가리 반죽
수제비를 그 어떤 스데끼 고기보다
좋아하고 좋아한다
사랑으로 빚은 손 맛에
정성으로 빚은 엄마의 두툼한 손 수제비
국수공장 아들로 태어난 나는 그래서
울퉁불퉁 멋은 없지만 수고와 마음이 담긴
수제비처럼 부드럽고 고급도 아닌
수수한 인생을 살고 있는지도 모른다

엄마 2

이세상에 태어나
제일 먼저 배운 이름
불러도
불러도
그리운 이름

가파도

이야기의 섬 제주 가파도
섬 모양이 가오리를 닮아 붙여진 이름
마라도와 제주 사이에
낮은 언덕 하나 없는 평평한 섬
봄엔 청보리 초록빛으로 물드는
초록의 섬 가파도
제주에서 뱃길로 십 여분이면
갈 수 있는 섬 속의 섬
이백년 전부터 심겨진 청보리가
섬 전체의 절반을
초록 옷으로 덮고
파란 눈의 이방인 하멜이 표류했던
제주의 푸른 바다가
7월의 맑은 하늘아래
넘실 거린다

하루(One Day)

어제 하루는 바람처럼 훌쩍 지나갔다
오늘 하루는 태양아래 구름처럼
이모양 저모양
검은구름 흰구름
좋은 일 걱정거리 뒤엉켜 흘러가고
내일 하루는
어제 오늘보다
더 행복한 마음 이기를
하루하루 살다보면
또 계절이 바뀌고
일년이란 시간이
나이를 삼킨다

하얀 튤립

너는 순결하고 고웁다
너는 보면 볼수록 탐스럽다
하이얀 드레스 위로 하늘 향해 두손 모우고
기도하는 너는 화려한 색 튤립 보다 튀지않아 좋다
나도 너처럼 있는 듯 없는 듯
화려한 무대 한켠에 놓인 하얀 튤립처럼
관심 받지 않아도 조금도 속상하지 않은
편한 마음으로 사는게 참 좋다

해운대

내가 사는 곳 해운대
구십 이년 직장일로 이사를 내려와
삼십년이 넘도록 살고 있는곳
지난 세월 이곳에서
아이들 키우고 시집 장가 보내고
오산 동네
오십년 된 오산 교회에서
지금까지 행복하게 살아가는 약속의 땅
일년 내내 바다를 볼수 있는 곳
광안대교 조명 불빛
하늘로 뻗은 고층 아파트
세상의 때문은 너무도 달라진
해운대의 모습이
시간이 흐를수록
낯설게 여겨져 온다

낮잠

낮잠은 달다
단 오분을 자도 기분이 좋다
낮잠을 자고 나면 기억상실증에 걸리듯
잠시 힘든 일도 잊게 한다
사랑하는 이에게 잠을 주시는 하나님
낮잠은 값없이 누리는 선물이다

수평선

마음의 수평선을 그려 봅니다
머얼리 띄워 보낸 내 삶의 작은 돛단배 하나
먼 항해를 마치고 돌아 옵니다

힘겨웠던 기나긴 여정 속에서도
흔들림 없이 여기까지 돌아온 돛단배
내 삶의 중심에 주님이 계시기 때문입니다

좌로나 우로나 풍랑의 바다에
닻을 내린 내 삶의 무게 중심
내 삶의 중심에 주님이 계시기 때문입니다

마음의 수평선을 그려 봅니다
머얼리 띄워 보낸 내 삶의 작은 돛단배 하나
먼 항해를 마치고 이제는 휴식을 가집니다

제3장　가을 : 그래서 인생은 가을 이다

가을

가을엔 누구나 시인이 된다
소소히 떨어지는 낙엽만 보아도 말없이 좋다
시인이 별거 이던가
가슴이 동하여 내 마음을 써내려가면
한편의 동화같은 시 한편이 되는 것이지요
그래서 인생은
별것도 아닌 작은 것 하나 까지도
사랑하게 되는 가을 이다

길

길을 걷는다
꽃길도 걷고 울퉁불퉁 자갈 길도 걷는다
오르막 길도 걷고 내리막 길도 걷는다
끝없이 이어진 길도 있고
막다른 골목길도 만난다
산티아고 순례자의 길도 걸어가고
잘 닦여진 포장 길도 걷는다
고난의 길도 걷고 성공의 길도 있다
넓은 길도 걷고 때론 좁은 길을 걸을때도 있다
때론 가기 싫은 길을 가야할 때가있고
때론 돌아 올 수 없는 길을 가는 사람도 있다
때론 지름길을 찾아서 가고
때론 먼곳으로 돌아가는 길도 있다
그 어떤 길도 그냥 걷는 길은 없다
세상의 모든 길을 인도 하시는 분은
오직 여호와 하나님 이시다

9월

폭염을 기기고
견디어낸 아스팔트
어느새
슬픈 울음이 묻어나는 매미소리
꽃들도 지친 듯
고개를 숙이고
여전히 여름 인 듯 하나
가을 냄새 풍기는
어정쩡한 9월
차지도
뜨겁지도 않은
나의 마음 같아서
싫다

무관심

요즘 사람들은 너무 무관심 하게들 산다
옆집에 누가 사는지 관심 없고
길을 가다 어떤 사마리아인을 만나도
내 일 아니면 관심 없고 지구 저편 땅이 갈라지고
포탄으로 집이 무너지고 아이들이 죽어져 가는
소식을 접하여도 관심 없는 무관심으로 산다
온갖 칸막이와 콘크리트 벽으로 막고 막아
내가 볼 것만 바라보는 병든 세상
보이지 않는 진실에는 무관심 하고
보이는 작은 이익에는 열혈 관심
남의 자식은 어찌 되든지 철저히 무관심 하고
내 자식 문제는 밤을 새워가며 관심을 두고
살면서 다할 책임엔 무관심 하고
눈 앞에 보이는 권리엔 목숨 걸고 관심을 둔다
무관심과 관심의 차이는 남는 장사인가
손해 보는 장사인가 딱 그 차이다

꿈꾸지 않는 새는 날지 못한다

꿈꾸지 않는 새는 날지 못한다
꿈꾸지 않는 나무는
마지막 잎새 에도 간절함이 없고
꿈꾸지 않는 강물은
바다를 이루지 못한다
꿈은
암탉이 알을 품을 때
병아리가 태어나듯
꿈을 꾸는 사람은
오늘이 소중하고 내일이 반갑다
너와 나의 사랑도 매일매일 꿈같기에 신난다
꿈꾸지 않는 사랑은
단맛을 잃은
사탕과 같다

공작새

세상을 향해 외친다
까마귀 같은 욕심을 버리고 너의 어리석은
마음의 미련을 버리라고
세상을 향해 춤춘다
그 누구도 따라 할수 없는 화려한 깃털의 몸짓을
도도한 세상이여 너는 아는가
고요한 아침 두손 모아 목놓아 부르는
기도의 손짓 나의 절규를
세상을 향해 노래한다
미움과 상처입은 사람 들이여
지금은 사랑으로 치유할 때니
시기와 다툼을 버리고 자유의 품으로 나아오라
펼쳐진 날개 아래 새 희망이 움튼다
공작의 이름으로 기적 같은 꿈을 버려라
공작의 이름으로 헛된 욕망을 거두어라

아버지

칠남매 중에서 유독 나를 사랑하셨던 아버지
추운 겨울 대학 본고사 입시날 시험보던 내내
운동장에서 떨며 기도하며 기다리셨던 아버지
대학 3학년때 병원 가시던 길에서 돌아가셨다
손주도 보지 못한채 너무 일찍 가셨지만 지금까지
내가 살면서 힘든일 있을 때마다 꿈에서 아버지를
만나면 그 다음날 신기하게도 모든 일이 풀렸던
일들이 나를 더욱더 그리움에 빠지게 합니다
아버지 오늘도 보고 싶습니다
나를 향한 하늘 아버지의 마음
끝까지 손잡아 동행하시는 아버지의 그 사랑
나이를 먹고보니 샘물처럼 환히 비쳐 보입니다

행복 이라는 이름

복있는 사람은 하루를 살아도 즐겁고
내 안에 남겨진 작은 사랑도 나누며 사는 것
그것이 행복입니다

복있는 사람은 유명 하진 않으나
유명 한자 보다 올바른 길을 걸으며 사는 것
그것이 행복입니다

복있는 사람은 삭개오 처럼 작은자 같으나
하나님의 부르심에 순종하며 포기하며 사는 것
그것이 행복입니다

복있는 사람은 없는자 같으나 마음이 부하고
그리스도의 향기로 그리스도의 편지로 사는것
그것이 행복입니다

비타민 사랑

당신은 내게 비타민 같은 사랑
아침에 눈을 뜨면 태양처럼 눈부신 사람
오늘 하루도 기쁨에 가슴 벅차고
내가 살아 내야 할 이유인 단 한사람
언제나 자기 일에 열심인 사람
생각만 하여도 만나고 싶은 사람
지치고 곤할 때 한 통화 전화 음성에도
위로가 되는 당신은 내게 비타민 같은 사랑
귀찮을 정도로 잔소리 하여도 밉지가 않은 사람
하나부터 열까지 좋은 것만 얘기해 주는 사람
덤벙대는 나에게 당신이 있어 온전해 지는 사람
당신은 내게 하늘이 내려준 비타민 같은 사랑
내가 살아 내야 할 이유인 단 한사람
당신은 내게 비타민 같은 사랑

헵시바(Hephzibah)

너는 나의 헵시바
너는 나의 기쁨
나의 가장 아름다운 왕자와 공주
나의 자랑
You are my Hephzibah
원준, 시온, 온유!
너희들은 나의 헵시바
너희들은 나의 기쁨
나의 가장 아름다운 왕관
나의 보석
You are my Hephzibah
원준, 시온, 온유!

병상에 있는 사람들을 위한 기도

연약한 육신 이라도 하나님을 향한 사랑의
불꽃은 오늘도 멈추지 않게 하소서
히스기야의 기도를 들으시고 응답하신 하나님
약할 때 강함 되시는 주님을 만나게 하소서
홀로 지키는 침상의 눈물의 자리가
온전한 예배의 자리가 되게 하소서
열두 해 혈루병 앓던 여인도 마침내
병상에서 일어나 고쳐주셨던 하나님의 사랑이
이들 에게도 달리다굼으로 나타나게 하소서
이제는 병원이 쓸데 없는자 같이 되게 하소서
말못할 힘겨운 가족들의 상처와 눈물도
위로와 기쁨의 눈물로 바꾸어 지게 하소서
사람들의 어설픈 위로의 말 보다
주님의 말 한마디가 이들에게 한없는 위로와
큰 힘이 되어 지도록 은총을 내려 주소서

색동 아리랑

아리랑 아리랑 색동 아리랑
아리아리 아리랑 아라리가 났네

색동 저고리 예쁜 치마 어여쁜 우리님
하이얀 고름에 턱 선도 고웁구나

하늘 향해 펼치는 가녀린 손짓
어디라서 이리도 아름다운 여인을 보리요

사뿐 사뿐 버선 발로 내딛는 한걸음
뉘라서 이리도 아름다운 여인을 보리요

아리랑 아리랑 색동 아리랑
아리아리 아리랑 아라리가 났네

파도

파도의 벽에 몸을 싣고 기대어 운다
파도 소리에 묻혀버린 젊은 영혼들의 아우성
어디 하나 기댈 곳 없는 젊은 청춘 들이여
파도의 벽에 부딪혀 쓰러지고 넘어져도
청춘의 이름으로 다시 일어나 노래하라
어린 상처의 흔적은 지워버리고
찬란한 청춘의 꿈을 하늘로 펼쳐라
높은 파도의 벽을 뛰어넘어 광활한 세상과 마주하라
이 세상은 젊은 청춘! 너희들의 무대다!
파도를 이기고 승리의 깃발로 일어서라
무엇이 너희들을 대적하랴
젊은 패기의 전신갑주를 입고 달려가라
청춘이 가기 전에 파도의 벽을 뛰어넘어
눈부신 저 광활한 세상을 정복하라
지금은 젊은 청춘! 너희들의 시대다!
지금은 젊은 청춘! 너희들의 세상이다!

마음을 담은 노래

노래는 마음을 담아야 맛이 난다
노래에 마음을 녹일때 진심이 우려난다
마음을 담은 노래는 사랑이 보이고
마음을 담은 노래는 감동을 준다
요즘 세상 어디에 마음을 담은 노래가 있을까
정겨운 이웃이란 말도 낯설고
훈훈한 사회라는 말도 잊혀진지 오래다
요즘 세상 어디에 마음을 담은 노래가 있을까
신앙을 나누는 사람들도 일터의 모임 에서도
마음을 담은 노래는 더 이상 듣기 힘들다
그 옛날 어릴 적엔 사촌도 서로 자주 만났고
집집마다 서로 오고가며 음식도 나누며 살았는데
작은 마음 하나 같이 나누고
마음을 담은 노래 한 소절 같이 부를수 없는
情을 나누는 참 친구가 없는 현실이 슬프다

사랑하는 이에게

사랑하는 이에게 오늘도 마음의 편지를 씁니다
알게 모르게 상처를 주고 모른 척 하진 않았는지
사랑하는 이에게 그냥 무심한 낙서 한장을 보냅니다
제일 만만하고 편한게 당신이라 그래서 그랬습니다
나의 속마음은 그렇지 않다는걸 당신도 알고 있지요
그래요 당신은 언제나 나에게 힘이 되어 주었지요
그래서 더더욱 당신에게 고맙습니다
사랑하는 이에게 오늘은 전화음성을 듣고 싶습니다
오늘은 어땠어? 뭘 먹고 누굴 만났는지 궁금합니다
사랑을 받은 사람 만이 사랑을 전해 줄수 있습니다
사랑하는 이에게
오늘도 당신을 사랑한다 말해주고 싶습니다
사랑하는 이에게
오늘도 당신이 곁에 있어 행복하다 말하고 싶습니다

사랑하는 이에게 오늘도 마음의 편지를 씁니다
내일도 또 사소한 일로 티격태격 하겠지만
이렇게 우리 두사람 알콩달콩 지금까지 살았지요
사랑하는 이에게 오늘처럼 변함없이
내일도 모레도 마음의 편지를 쓰겠습니다
우리 사는 날까지 웃으며 살자고 말하고 싶습니다

팬덤 세상

제 눈에 안경 이라고 했던가
사람들은 다들 저마다의 안경 속에서만
세상을 바라본다
맹목적인 사랑은 때로는 서로를 병들게 하고
허물은 덮어줄수 있어도 진실은 덮어줄수 없다
오로지 자신들만의 생각이 바른 길이라
착각하고 살아가는 그들만의 세상
그들은 무조건이다
그들은 무작정이다
그들은 답이 없다
오로지 그들만의 세상에 갇혀 산다
그들은 옳고 그름에는 관심이 없다
그들의 반대편은 모두가 적이다
삐뚤어진 사랑과 변질된 진실이
정의로 포장 되어가는 슬픈 세상
날마다 병들어가는 너와 나의 팬덤 세상

타워 크레인

오늘도 빙빙 돌아간다
이곳 저곳 자재를 내리고 옮긴다
수많은 계단을 올라
하늘과 구름이 맞닿은 곳에
운전석이 있다
항구에 정박하는 배처럼
구석구석 긴 줄을 내려
골리앗 같은 위용을 뽐낸다
타워 없이는
현장은 돌아가지 않는다
너도나도 인정해주는 꼭 필요한 사람
내 곁의 당신처럼
오늘도 타워크레인은 긴 붐대를
움직이며 거만하게
땅을 내려다본다

제4장 겨울 : 너에게도 인생의 겨울은 있다

동백꽃 겨울

누구 에게나 인생의 겨울은 있다
좋든 싫든 한번쯤 겨울을 지난다
어떤 이는 그 겨울이 예쁜 그림이 되고
또 어떤 이는 그 겨울이 낙서가 된다
혹한 추위 속에서도 꽃을 피우는 동백꽃
겨울에 피기에 동백 꽃이 던가
너에게 인생의 겨울이 찾아 올지라도
겨울 이기에 피는 꽃이 있다는 걸 기억하라
겨울에 피는 꽃 동백꽃
당신의 겨울에도 동백꽃은 핀다

SNS

얼굴은 숨기고 이름도 감추인다
헐뜯는 입은 날카로운 독수리 발가락보다 매섭다
숨바꼭질하듯 숨어서 비겁한 손가락으로
자신들의 이룰 수 없는 욕망의 한계를
분풀이 하듯 맹수 인냥 강한척 하지만
실상은 겁먹은 고양이 같이 어설프다
당당히 나와 자신을 알릴수 없는 비겁함
그져 독기만 품은 굶주린 욕설의 향연처럼
SNS 세상은 진실도 읽을수 없고 알수도 없다
영혼 없는 인사와 어쩔수 없이 내뱉는
문자와 언어의 넋두리 같은 피곤한 일상
지금 우리는 인간성 상실의 시대에 살고 있다
때론 죽이는 독약이 되고
때론 살리는 양약이 된다
얼굴 없는 세상
SNS 세상

별은 빛나건만

별은 빛나건만 나의 사랑은
저 별빛 보다 작고
별은 빛나건만 나의 꿈도
저 별빛 보다 작고 어둡다네
영원한 별빛이여
나의 사랑과 꿈을 위하여 비추어다오
오래 오래 견디어 내는 사랑
하나씩 둘씩 떨어지는 꽃잎 이어도
다시 또 피워 낼 억척같은 꿈을 위하여
영원한 별빛이여
나의 사랑과 꿈을 위하여 비추어다오
별은 빛나건만 아직도 나의 사랑 나의 꿈은
저 별빛 보다 작고 어둡다네

엎드림

당신 발 아래 엎드립니다
순전한 나드
옥합을 깨뜨려 당신 발 아래 엎드립니다
내가 서있는 거룩한 땅에서
탐욕의 신을 벗고
고집의 신을 벗고 당신 발 아래 엎드립니다
내 삶의 가장 큰 소유 내어드리고
기도의 옷을 입고
찬송의 옷을 입고 당신 발 앞에 엎드립니다
순전한 나드
내 삶의 향유 옥합 온전히 드립니다
내 삶의 향유 옥합 온전히 드립니다

독감

손주가 독감 이란다
잦은 기침에 열도 38도를 오르 내린다
겨울 초입에 들어서니
여기저기서 감기로 고생하는
사람들이 많다
우리네 인생은 어쩌면 불씨에 찾아오는
독감처럼
독하게 아플때도 있고
독한 사랑을 앓을때도 있다
예방 백신도 맞고 치료약도 필요한
우리네 인생길
길어도 짧아도 건강하여도 연약하여도
자랑할 것 없고 부러워할 것 없는
누구에게나 공평한
감기처럼 앓다가 돌아가는 길
그것이 인생이다

여인 아비가일

말 한마디로 천냥 빚을 갚고
분노를 그치게 한 여인의 이름 아비가일
사람의 마음을 진심으로 움직이는 힘
겸손한 말
진실의 말
사람의 마음을 진심으로 움직이는 힘
사랑의 말
용서의 말
사백 명의 칼의 길을 막았던
여인의 이름 아비가일 이여
그대는 실로 아름답고 아름답도다
지혜와 용기의 말 한마디는
죄와 허물을 덮어주고 화평을 이룬다

세비야(Sevilla)

태양의 나라
축제의 나라
플라멩고의 나라 스페인
남부 안달루시야엔 로시니의 오페라
세비야의 이발사로 유명한 도시
세비야가 있다
화가 벨라스케스의 고향이요 신대륙을 발견한
콜럼버스의 항해가 시작된 곳이다
감람나무라 불리는 올리브가 지천으로 널려있는 곳
스페인 광장의 마차 투어때 오밀조밀
골목안을 지나며 만났던 안달루시야 사람들의
정겨운 환호와 미소를 잊을수 없다
태양을 사랑하고 예술을 몸으로 안으며 사는
스페인 사람들의 낭만과 여유가
문득문득 내 삶속에 들어와 꿈틀 거린다

요양병원

작년부터 요양병원에 계신 장인 어르신
폐 가 나쁘셔서 들어가신 뒤로
거동까지 불편하셔서 병상에 누워 계신다
얼마전 아내와 면회를 다녀왔다
어버이날 겸해서 얼굴을 뵈러 갔었는데
용돈 봉투를 드리니 이제 나는
돈이 필요 없다 하시는 말씀에
마음이 먹먹하여 눈물이 났다
언젠가는 가야할 천국의 길
돈을 위해 살았고 돈을 움켜쥐고 살아가는
우리네 인생길 누구에게나 종착역에선
내리기만 하면 될뿐 더 이상 돈이 필요없다
요양병원은 마치 천국 입성을 기다리는
대합실 같아서 돌아오는 내내
솔로몬의 고백이 가슴에 맴돌았다
인생은 헛되고 헛되고 헛되도다

오로라

그대는 나의 오로라
춤추는 나의 오로라
보면 볼수록 사랑스럽고 볼수록 예쁘다
마알간 얼굴에 조그만 입술
안경 너머 생글생글 미소짓는 너의 눈웃음
오색 찬란한 빛의 색깔도 너만큼 빛날까
그대는 나의 오로라
나를 춤추게 하는 나의 오로라
당신을 만난 것 밤하늘 혜성보다 귀하고
당신과 나눈 기억 별처럼 헤아릴수 없다네
사랑하는 나의 오로라
나를 백번 주어도 당신 사랑 단 한번으로도
행복하고 행복한 둘도 없는 나의 오로라
이 세상에 단 한사람
그대는 사랑하는 나의 오로라

참외

노오란 줄무늬 참외
진짜 오이라 해서 붙여진 이름
나는 세상 수많은 과일 중에
참외를 가장 좋아한다
참 이상한게 돌아가신 울 엄마가
평생에 전혀 못드신 과일이 참외다
그러다 보니 먹고 싶은 참외를
나도 덩달아 잘 사먹지 못했다
노오란 줄무늬 참외
엄마가 돌아가신 후엔 눈치 보지 않고
마음껏 먹음에 좋긴 하여도
참외를 먹을 때 마다
곁에 계신 듯 엄마가 그리워 진다

손주

자식을 보면 사랑스럽다
손주는 더 더욱 그렇다
하루종일 놀아주다 보면 힘에 부친다
사랑하는 마음보다 때론
힘든 몸이 마음을
허전하게 할때도 있다
오래 곁에 두면
언제 가려나 하다가도 막상
가고 나면 또 눈 앞에 아른거리는
알 수 없는 장난감처럼
아무나 가질 수 없는
노인의 면류관
그게 손주다

다윗의 유언

(사랑하는 나의 아내 은화 그리고 준일과 지혜에게 미리 유언)

혹 나에게 마지막 순간이 오거든

심폐소생과 연명 치료는 하지 말고

세상 모든 사람들이 가는 그 길로 가리니

자식을 주셨으니 여호와께서 주신

기업을 이루었고 손자 손녀를 얻었으니

인생의 면류관을 주셨음이라

결실한 포도나무 같은 아내와

이 땅의 여행을 마치는 날

파아란 하늘 흰물감 같은 구름사이로

행복이란 두 글자를 그리며 천국 가리라

자녀들아 너희들은

하나님 여호와의 명령을 지켜 그 길로

행하여 믿음을 지키라

그리하면 너희가 무엇을 하든지

형통 하리라

부모와 자식으로 만나 복되게 살았고
남편과 아내로 만나 나는 행복 하였노라
하늘 아버지의 집으로 돌아가는 날
잠시 헤어짐에 아쉽지만 슬퍼 울지 말고
천국 환송하는 그날엔 웃으며 보내다오
잠시 세상에 내가 살면서 항상 찬송 부르다가
날이 저물어 오라 하시면 영광 중에 나아가리
492장 찬송을 불러주고 열왕기상 2장
다윗의 유언의 말씀을 늘 마음에 새기어라
마지막으로 너희들에게 엄마를 부탁한다
엄마는 요양원에 홀로 보내지 말고
살던 집에서 끝까지 행복하게 잘 모시어라
나는 행복 하였다
너희들도 행복하게 살고
준이와 시온유 사랑하고 축복한다